Renée Robitaille   Éloïse Brodeur

La journée des pets et des rots

«Des mots plein la bouche»

Depuis que je suis haute comme ça,
c'est plus fort que moi, je pète et je
rote. Mon frère et moi, ça nous amuse
tellement qu'on en fait presque pipi
dans nos culottes.

Chaque fois, papa me regarde avec ses
yeux de tigre. Et maman siffle comme
un serpent:

— Ça ssssssuffit, Sssssimone!
Si tu rotes encore à table, tu mangeras
à l'étable!

Mais ce soir-là, quand j'ai pété dans mon pyjama, maman a décidé de changer de stratégie.

— J'en ai assez! Plus personne ici ne va péter ni roter jusqu'au prochain jour de congé!

— Et qu'est-ce qui se passera, ce jour-là? j'ai demandé.

— Ce sera... une journée entière pour péter et roter à volonté. **La journée des pets et des rots!** D'ici là, mettez des bouchons!

Le vendredi suivant, j'avais congé.
Au réveil, mon frère et moi, nous
avons trouvé un mot affiché sur
le réfrigérateur.

MENU DE LA JOURNÉE DES PETS ET DES ROTS

PETIT-DÉJEUNER
Œufs à la coque et nid de fèves au lard
Confiture de pruneaux et
pain baguette

DÎNER
Salade de radis à l'échalote crue
Hot dogs à la vapeur
Boissons gazeuses à volonté

SOUPER
Soupe aux pois
Choucroute de mémée Germaine
Pets de sœurs au sirop de prune

Soudain, papa est entré dans la cuisine, coiffé d'un chapeau melon et armé d'une trompette.

– Pouet! Pouet! Pouet! Mes enfants, bienvenue à **La journée des pets et des rots**. Voici les points qui seront attribués lors de cette journée haute en odeur et en cacophonie.

Chaque son sortant de votre bouche ou de votre arrière-train vous vaudra **1 point.**

Chaque odeur s'échappant entre vos dents ou de votre pétrus équivaudra à **2 points.**

Si vous lâchez une bombe en même temps que vous ventilez de la bouche, vous obtiendrez un bonus de **5 points!**

Si vous rotez en chantant l'alphabet, **10 magnifiques points** vous seront accordés!!!

Bonne chance à tous! a conclu papa.

Puis, on s'est attablés pour le petit-déjeuner. Dès sa première bouchée, mon père a levé la fesse et a pété bruyamment. **Sprouuuuut!**

— Tu triches! je lui ai dit. Si tu pètes déjà, c'est que t'as mangé des fèves au lard en cachette pendant la nuit!

— C'est faux, a tranché maman. Votre père n'a pas besoin de fèves au lard pour ventiler du derrière. Péter le matin, c'est sa spécialité!

Pour preuve, papa a lâché la pression encore trois fois.

Fouit... Fouit... Fouit...

Nous avons été obligés de lui accorder **4 points.**

Je grimaçais devant
mon œuf à la coque.
La partie n'allait pas
être facile.

Soudain, mon grand frère a bondi sur sa chaise en remuant la tête comme un pigeon. **Et Burrrp!!!**

Il a fait trembler les murs de la cuisine avec un rot d'homme des cavernes. Malgré tous ses efforts, il n'a mérité que **1 minuscule petit point.**

Ensuite, papa a organisé une partie de saute-mouton dans le jardin. Maman en a profité pour lui péter à la figure.

Mon frère et moi, on s'est esclaffés. Mais on s'est vite arrêtés, car papa venait de tomber dans les pommes: ça empestait le crottin de chèvre! Pour le réanimer, maman lui a offert un bon jus de pruneau.

Encore un peu étourdis, on s'est attablés pour le dîner. Tour à tour, mon frère, mon père et ma mère se sont mis à rebondir sur leurs chaises. Mais moi, je restais coincée. J'avais beau me tortiller dans tous les sens, aucune bulle d'air ne voulait s'échapper de mon corps, comme si j'avais des bouchons partout.

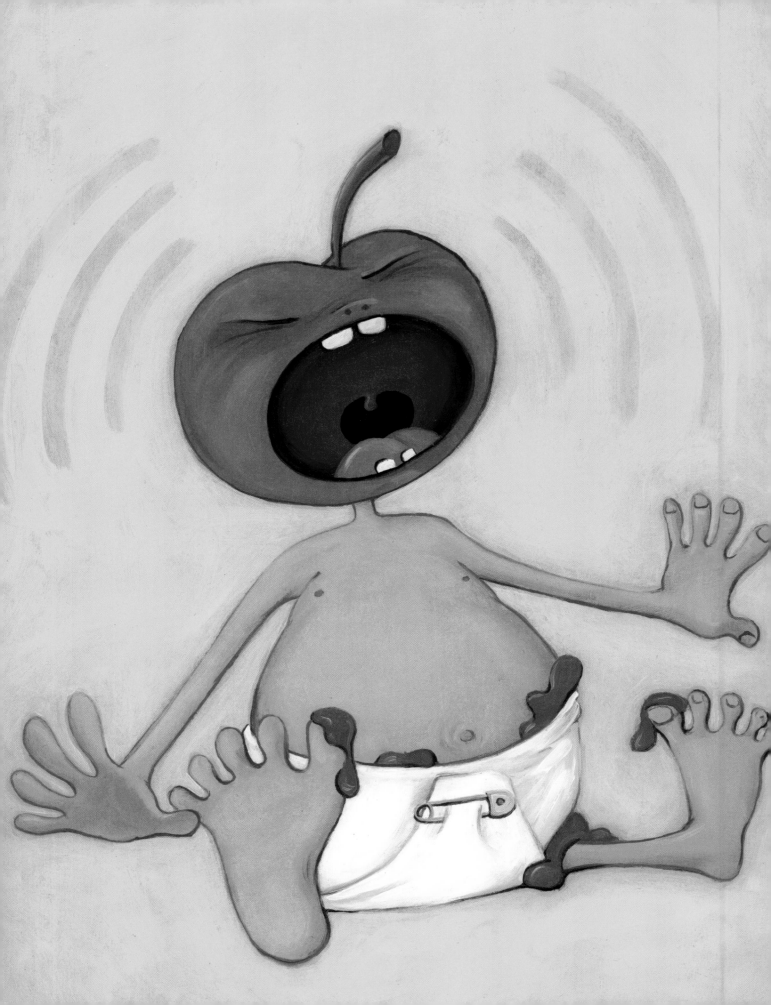

Sur ces entrefaites, notre bébé frère s'est mis à hurler comme une sirène de pompier. Très vite, il est devenu aussi rouge qu'une cerise.

— Voilà un bien joli cadeau, a soupiré maman en se pinçant le nez.

Une odeur de vieux cheddar s'était répandue dans la cuisine. Puisque papa s'était éclipsé, c'est encore maman qui a changé la couche. Mon petit frère avait du caca jusqu'aux orteils. À son retour, humant le parfum ambiant, papa a accordé **15 points** à mon bébé frère pour son exploit! Heureusement pour moi, ce petit chenapan a ensuite fait la sieste.

C'était le moment parfait pour me rattraper. J'étais gonflée comme un ballon de plage. Mais malgré mes exercices pour détendre mon pétoulet, rien ne se passait. Rien du tout!

Alors, je me suis mise à pleurer comme une fontaine.

— Ce n'est pas juste! Je suis la nulle des pets et des rots. Je vais perdre le concours, c'est sûr!

— Ne te décourage pas trop vite, Simone, a dit maman. Te souviens-tu du jour où tu avais mangé des cigares au chou?

J'avais oublié cette journée où j'avais
pété mon chou trop près de la cuisinière.
Mon gaz avait pris feu et le détecteur
de fumée avait sonné l'alerte générale:
Sauve qui puuuuuuuuuuue!

Maman avait raison.
La partie n'était pas encore terminée.
Je devais m'accrocher!

Pendant qu'elle préparait le souper,
mon père s'est approché de maman
et a cajolé sa main en lui disant:

— Anne, tu n'as accumulé que
21 points depuis ce matin...
Serais-tu timide?

En guise de réponse, maman a ouvert
la bouche et s'en est échappé un rot
long comme une saucisse.

— Pardon, s'est excusée ma mère,
écarlate de honte. Je suis allergique
aux hot dogs.

En entendant ma mère, j'ai éclaté
de rire! Mes épaules se sont mises
à rebondir comme des grenouilles
et mon ventre, à se tortiller dans
tous les sens.

C'est à ce moment-là que s'est passée une chose incroyable. L'immense bulle d'air coincée dans mon bedon s'est mise à bouillonner, à bloublouter et à foncer vers la sortie! Et moi, Simone la montgolfière, j'ai pétaradé comme un avion qui démarre: **Pop, Pop, Pop, Pop, Pop, Pop!!!**

Toute ma famille a explosé de rire avec moi. Le plus rigolo, c'est que plus on riait, plus je pétais. Au total, papa a compté 19 pétards. Bruyants et puants. Alors, on a multiplié les points par 3! Quelle chance!!!

Pendant le souper, papa a distribué
autant de points qu'il y avait de pois
dans la soupe. Impossible de tenir une
conversation.

Nous mangions avec une pince
à linge sur le nez. Mon bébé frère,
lui, dormait dans sa chaise haute,
nimbé de gaz.

Épuisé, papa a annoncé que
le concours était terminé.

– Pouet ! Pouet ! Pouet !
a-t-il tonné avec sa trompette.
Mes amis, voici les résultats de
La journée des pets et des rots.

Le prix de consolation est décerné
à notre merveilleux bébé et à votre
chère maman, qui ont accumulé
chacun **51 points** grâce à leur duo
de bombes puantes.

Maman a embrassé mon petit frère
qui ronronnait dans ses bras.
Ce concours les avait vidés.

Papa a continué:

— La troisième position est attribuée à notre fils aîné qui a mérité **64 points** grâce à son alphabet roté à l'envers!

Mon grand frère a fait la danse du bourdon, tout fier de sa performance.
Je ne tenais plus en place.
Il ne restait que papa et moi.
J'aplatissais nerveusement mes pets de sœurs dans leur sirop quand papa a annoncé:

— En deuxième position, votre dévoué papa qui a courageusement amassé **72 points** avec sa gamme pétée en do majeur!

Aussitôt, j'ai catapulté mes pets de
sœurs dans les airs en m'exclamant:

— Alors, j'ai gagné??? C'est moi,
la reine des pets et des rots?

Mon père m'a soulevée comme
un trophée, sous les chauds
applaudissements de toute ma famille.

— Félicitations, ma Simone! Tu m'as
vaincu par 2 points! Ta mitraillette de
cigares au chou nous a ratatinés!

Autour de mon cou,
maman a glissé une grosse
médaille qu'elle avait sculptée
dans une guimauve géante.

Ce soir-là, je me suis endormie
le cœur léger. Quels beaux moments
nous avions passés en famille!

Et maman qui croyait que cette journée
nous dégoûterait tous des pets et
des rots pour le reste de notre vie...
Elle n'avait pas pensé aux effets
de la soupe aux pois...

Car sous les couvertures,
les tremblements de terre ont
continué jusqu'au petit matin.

Les Éditions Planète rebelle remercient le Conseil des arts du Canada
de l'aide accordée à leur programme de publication, ainsi que la
Société de développement des entreprises culturelles du Québec
(SODEC) et le «Gouvernement du Québec – Programme de crédit
d'impôt pour l'édition de livres – Gestion SODEC».

Nous reconnaissons également l'aide financière du gouvernement
du Canada par l'entremise du «Fonds du livre du Canada»
pour nos activités d'édition.

Design graphique: Marie-Eve Nadeau
Révision: Janou Gagnon
Correction d'épreuves: Corinne De Vailly

Dépôt légal: 4e trimestre 2014
Bibliothèque et Archives nationales du Québec
Bibliothèque et Archives Canada

ISBN: 978-2-924174-25-8

Achevé d'imprimer en septembre 2014
sur les presses de Transcontinental
Imprimé au Canada • Printed in Canada